LELLI E MASOTTI

LELLI E MASOTTI
MUSICHE

SilvanaEditoriale

LELLI E MASOTTI
MUSICHE

Galleria Nazionale dell'Umbria
1 luglio - 25 settembre 2016

A cura di
Marco Pierini

Ufficio stampa
CLP Relazioni Pubbliche

Allestimenti
Totem Group

Illuminazione
Alberto Cecchini

Video Musiche revisted 10'
fotografie: Lelli e Masotti
montaggio video:
Gianluca Lo Presti /
MammaFotogramma
montaggio sonoro:
Massimo Falascone

Biglietteria e bookshop
Sistema Museo

Catalogo a cura di
Marco Pierini

Testi
Silvia Lelli
Roberto Masotti
Marco Pierini

Traduzioni
Bennett Bazalgette-Staples

Galleria Nazionale dell'Umbria

Direttore
Marco Pierini

Comitato scientifico
Maria Teresa Gigliozzi
Francesco Federico Mancini
Marco Pierini
Antonella Pinna
Bruno Toscano

Consiglio di amministrazione
Massimo Montella
Luisa Montevecchi
Marco Pierini
Laura Teza
Bruno Zanardi

Revisori dei conti
Massimo Bistocchi
Giovanni Caruso
Paolo Chifari

Segreteria organizzativa
Carla Ravaioli
Antonio Mangiabene
Lorella Santi

Gestione depositi e inventario
Maria Brucato

Didattica
Graziella Cirri

Collezione e prestiti
Giovanni Luca Delogu

Catalogo
Stefania Furelli

Diagnosta
Rosa Maria Lascala

Ufficio amministrazione
Marilena Cutini
Lucio Panfili
Patrizia Pierozzi

Ufficio gare e contratti
Michele Gattucci

Ufficio tecnico
Orazio Baldoni
Rodolfo La Sala
Renato Ricci

Ufficio risorse umane
Michele Gattucci
Mario Budelli
Serenella Mearini

Informatico
Fabrizio Rosati

Biblioteca
Letizia Vecchi

Ufficio protocollo
Manuela Canosci
Giuliana Pierotti

Logistica
Paolo Montanelli

Addetti ai servizi
Fabio Carpinelli
Silvia Gamboni

Stage
Marzia Sagini

Accoglienza e vigilanza
Claudio Andreani, Simonetta Ardone, Maria Chiara Ascani, Giovanna Baldassarre, Donatella Belisti, Ermanno Bonucci, Lamberto Bottini, Anna Maria Cavalletti, Roberto Ciappi, Emilio Cristofani, Anna Cuccunato, Caterina D'Angelo, Tiziana Dentici, Mirella Di Flavio, Patrizia Felcetti, Giuseppina Ferretti, Esmeralda Fusaro, Emanuele Gatticchi, Giada Gatticchi, Giulia Giorgi, Cristina Lemmi, Simona Manni, Elena Marchionni, Riccardo Massarelli, Jacopo Meniconi, Silvia Merletti, Valentina Mesina, Roberta Mezzasoma, Bruno Morini, Mohamed Noun, Monica Paggetta, Adriano Palomba, Maurizio Passeri, Erika Pinti, Annunziata Romani, Aurora Roscini Vitali, Chiara Roscini Vitali, Matteo Rossi, Marco Saltalippi, Mauro Sanzi, Enrico Scoccia, Christian Segolini, Adriano Suvieri, Candido Tamantini, Sergio Tarquinio, Oriano Testa, Tiziana Testa

Galleria Nazionale dell'Umbria
Corso Vannucci 19
06123 Perugia, Italia
tel. +39 075 58668415
www.gallerianazionaleumbria.it
gan-umb@beniculturali.it

SOMMARIO

MUSICHE

Marco Pierini

Lo scatto della macchina fotografica fissa l'istante di una performance, congela il gesto e interrompe la sequenza cronologica costituita da tutte le azioni precedenti e successive che l'obiettivo ha dunque eliso, consegnandole al 'consumo' dei sensi e al fisiologico trascorrere nella memoria dello spettatore. L'atto del suonare, del danzare, del cantare, così fluido nel suo sviluppo temporale, si configura in un assetto chiuso, quasi dato una volta per tutte, tanto da divenire spesso l'immagine naturalmente associata a un determinato artista, quando si rievochi il suo stare di fronte al pubblico. In qualche maniera sembra proprio che la fotografia, se riesce a restituire una forma assoluta della performance musicale, tenda a inverare per immagini quell'astrazione dallo scorrere meccanico del tempo che Lévi-Strauss attribuiva alla natura specifica della musica: "Al di sotto dei suoni e dei ritmi, la musica opera su un terreno grezzo, che è il tempo fisiologico dell'uditore; tempo irrimediabilmente diacronico in quanto irreversibile, e di cui la musica stessa tramuta però il segmento che fu dedicato ad ascoltarla in una totalità sincronica in sé conchiusa. L'audizione dell'opera musicale, in forza dell'organizzazione interna di quest'ultima, ha quindi immobilizzato il tempo che passa"[1].
Fin dagli esordi, Silvia Lelli e Roberto Masotti sono riusciti a formulare immagini che sembrano partecipare di questa "totalità sincronica". Ogni fotografia, indipendentemente dal soggetto, non si presenta infatti soltanto come "Particolare assoluto", "Contingenza suprema"[2], ma assume in sé quel carattere di atemporalità e di universalità che trascende il mero fenomeno, pur tuttavia non negandolo, né rifiutando a priori la propria appartenenza alla categoria del documento. Si considerino a questo proposito i ritratti dei direttori d'orchestra selezionati – ma non disposti assieme – per *Musiche* da Lelli e Masotti. L'ambientazione e l'abbigliamento dichiarano inequivocabilmente il contesto, il mero dato fattuale, che ci fa comprendere se siamo di fronte a una prova o a un'esecuzione pubblica, se il protagonista agisce in teatro o in uno spazio meno convenzionale prestato alla musica; l'elemento di

Paul Giger,
I suoni delle Dolomiti.
Làtemar, Rifugio
Torre di Pisa

RepertorioZero, *Festival Mito*. Milano, Hangar Bicocca

cronaca è tuttavia superato e relegato a margine dal potere evocativo dell'immagine, dalla restituzione del gesto del direttore non come accidente, bensì espressione ineludibile della personalità artistica, del carattere, del temperamento. Il pathos di Bernstein che dirige l'Orchestra Filarmonica del Teatro alla Scala di Milano, il rigore scontroso che Sergiu Celibidache trasmette con lo sguardo mentre conduce i Münchner Philharmoniker, la solenne e autorevole gestualità di Pierre Boulez, l'assorta partecipazione di Giuseppe Sinopoli che sembra cantare assieme agli strumenti, l'enfasi espressiva di Lorin Maazel trascendono talmente il momento da rendere del tutto accessorio sapere quale fosse la musica interpretata, o conoscere quando l'istante sia stato colto (le didascalie, infatti, non riportano le date d'esecuzione). Alcune immagini sono ordinate in sequenze che rendono perfettamente ragione del titolo della mostra, come quelle dedicate al pianoforte e al violoncello. Il pianoforte, in particolare, incarna allo stesso tempo la tradizione consolidata, la ricerca novecentesca, il jazz e persino la sperimentazione di Fluxus e di altre correnti incentrate sulla performance che dissolsero, ai primi anni sessanta, il confine tra musica e arti visive. Le *Musiche* sono, in questa scansione, rappresentate davvero in tutta la loro ampiezza di spettro: dalla letteratura pianistica classica (l'ispirato Pollini, l'imperioso Ashkenazy) al jazz, con Keith

Jarrett spinto dall'energia del suono ad alzarsi dallo sgabello, dall'avanguardia contemporanea 'colta', di cui Antonio Ballista è tra gli interpreti più intelligenti e raffinati, all'azione di impronta essenzialmente performativa, con protagonisti Juan Hidalgo, Giancarlo Cardini e Steve Beresford. La serie, che avrebbe potuto comprendere altri scatti tra le migliaia di fotografie conservate nell'archivio di Lelli e Masotti, è idealmente racchiusa tra l'immagine del piano preparato da Cardini per eseguire partiture di John Cage – dove l'esecutore non compare e lo strumento si mostra nella sua piena fisicità – e quella di Vladimir Horowitz che esce sorridente dal palcoscenico brandendo un mazzo di fiori e abbandonando alle proprie spalle il pianoforte.
Musiche, dunque, affrancate da ogni categoria, classificazione, genere, restituite non soltanto nella dimensione del concerto, ma anche in quella della prova, della composizione e attraverso il riverbero del pubblico – i composti ascoltatori delle platee così come le masse degli stadi o le sparute presenze che spartiscono i pochi metri quadri delle gallerie d'arte coi performer – la cui compresenza con gli interpreti nello spazio e nel tempo rende possibile l'evento dell'esecuzione, replicabile all'infinito e insieme unico e irripetibile. Unicità che non vale solo per il musicista, ma, appunto, anche per ciascun ascoltatore, poiché la musica che scaturisce dal vivo induce lo stabilirsi di un rapporto diretto, privilegiato, immediato, che ridefinisce spazio e tempo secondo coordinate dettate soltanto dalla natura e dall'esclusività di tale relazione. Ecco dunque che, avvertendo una sensazione di estraniamento nello spazio e di sospensione nel tempo, anche il pubblico partecipa di quella "totalità sincronica" così bene enucleata da Lévi-Strauss all'interno del discorso musicale.
Proprio perché contemporaneamente osservatori e ascoltatori, Silvia Lelli e Roberto Masotti vivono appieno questa particolare condizione spazio-temporale e sanno restituirla in immagini che agiscono in noi come catalizzatori di una memoria collettiva capace di trasformare ogni accadimento personale, privato, intimo, com'è per propria natura il godimento di un'opera d'arte, in un sentimento condiviso, universale.
Del resto, non è ciò che fanno anche le *musiche*?

[1] Claude Lévi-Strauss, *Le cru et le cuit* (1964), trad. it. *Il crudo e il cotto*, Milano 1966, p. 32.
[2] Roland Barthes, *La chambre claire. Note sur la photographie* (1980), trad. it. *La camera chiara. Nota sulla fotografia*, Torino 2003[2], p. 6.

MUSICS

Marco Pierini

The camera shot captures an instant of a performance, freezing the gesture and interrupting the chronological flow made up of all the previous and following actions that the lens has thus overlooked, entrusting them to their 'consumption' by the senses and the physiological passage through the memory of the onlooker. The act of playing, dancing or singing, so fluid in its unfolding over time, is presented as a sealed element, almost once and for all, to the point of frequently becoming *the* image naturally associated with a given artist, in reference to his/her appearances before an audience. In a certain way, it actually seems that if it manages to yield an absolute form of the musical performance, photography tends to bring to life through images that abstraction of the mechanical passing of time that Lévi-Strauss attributed to the specific nature of music: "Below the level of sounds and rhythms, music acts upon a primitive terrain, which is the physiological time of the listener; this time is irreversible and therefore irredeemably diachronic, yet music transmutes the segment devoted to listening to it into a synchronic totality, enclosed within itself. Because of the internal organisation of the musical work, the act of listening to it immobilises passing time."[1]

Ever since their debut, Silvia Lelli and Roberto Masotti have managed to formulate images that seem to participate in this "synchronic totality." Every photograph, independently of the subject, is not in fact presented just as an "absolute Particular," as "sovereign Contingency,"[2] but with the aim of summing up that character of timelessness and universality that transcends the mere phenomenon, despite not denying it nor rejecting its own belonging to the document category *a priori*. In this regard we may consider the portraits of orchestra conductors selected for *Musiche* – yet not displayed together – by Lelli and Masotti. The setting and the clothing unequivocally declare the context, the mere factual datum, showing us whether we are witnessing a rehearsal or a public performance, whether the protagonist is in a theatre or a less conventional space, one loaned to music; the element of chronicling is

Prove di *Ernani* di Giuseppe Verdi, orchestra del Teatro alla Scala, direttore Riccardo Muti, regia di Luca Ronconi, scene di Ezio Frigerio. Milano, Teatro alla Scala

Claudio Abbado e Daniel Barenboim, prove del concerto delle orchestre Filarmonica della Scala e Mozart. Milano, Teatro alla Scala

however incidental, relegated to the outer edges by the evocative power of the image itself, by the rendering of the gesture of the conductor not as an accident, but as an outright expression of the artistic personae, character and temperament. Bernstein's pathos as he conducts the Philharmonic Orchestra of the Scala Theatre in Milan; the sullen rigour that Sergiu Celibidache transmits with his gaze as he conducts the Münchner Philharmoniker; the solemn and authoritative gestures of Pierre Boulez; the total participation of Giuseppe Sinopoli who seems to be singing along with the instruments, and the expressive emphasis of Lorin Maazel all transcend the moment to the point of making it entirely incidental to know what the music being played was, or to know when the instant was actually captured (the captions do not in fact state the date of performance).

Some images are ordered in sequences that fully reflect the title of the exhibition, such as those dedicated to the pianoforte or the violoncello. The pianoforte in particular embodies at the same time the conventional tradition, 20th-century research, jazz and even Fluxus experimentation and that of other currents revolving around musical performance, and which at the start of the 1960s did away with the distinction between music and the visual arts. In this sense, the *Musiche* really are represented right across the board: from classical piano

literature (the much-inspired Pollini, the imperious Ashkenazy) to Jazz, with Keith Jarrett driven by the energy of sound to lift himself up from the stool; from the 'high-brow' contemporary avant-garde, of which Antonio Ballista numbers among the most intelligent and refined representatives, to actions of an essentially performative nature, of which the protagonists are Juan Hidalgo, Giancarlo Cardini and Steve Beresford. The series, which might well have included others from among the thousands of shots to be found in Lelli and Masotti's archive, may be summed up in ideal terms between the image of the piano prepared by Cardini to perform a John Cage score, in which the performer does not appear and the instrument is shown in its full physicality, and that of Vladimir Horowitz leaving the stage with a smile on his face, brandishing a bunch of flowers and abandoning the piano behind him.
Thus, *Musiche*, once freed from all categories, classification and genre, expressed not only in the concert dimension but also in that of rehearsals, composition, and through the reaction of the audience – the self-contained listeners seated in the stalls or the masses in the stadiums, or the occasional figures that share a few square metres of art galleries with performers – whose presence along with the performers in space and time makes the performance event possible, replicable ad infinitum, and at the same time both unique and unrepeatable. Uniqueness which does not apply only to the musician, but also to every listener, for music unleashed live leads to the establishment of a direct, privileged, immediate relationship, one which redefines space and time on the basis of coordinates dictated by nature alone and by the exclusiveness of this relationship. And, on perceiving a sensation of estrangement in space and a suspension of time, it is here that also the audience takes part in that "synchronic totality" so well described by Lévi-Strauss as part of his discussion on music.
And it is because they are at the same time observers and listeners that Silvia Lelli and Roberto Masotti experience this particular space-time condition to the full, and also know how to render it through images that act upon us as catalysers of a collective memory capable of transforming every personal, private and intimate event, as is the enjoyment by nature of a work of art, into a shared, universal sentiment.
After all, isn't that also what *musics* do?

[1] Claude Lévi-Strauss, *Le cru et le cuit* (1964), English translation *The Raw and the Cooked*, Chicago 1969, p. 32.
[2] Roland Barthes, *La chambre claire. Note sur la photographie* (1980), English translation *Camera Lucida. Reflections on Photography*, New York 1981, p. 4.

Bösendorfer

1990
MUSICHE (VEDERE COME SENTIRE)

Lelli e Masotti

Immaginiamo di percorrere un lungo corridoio su cui si affaccia una lunga teoria di stanze e che da ognuna fuoriescano suoni diversi. Immaginiamo ancora di essere sotto un'ampia cupola dove convivono molte musiche, l'una a ridosso dell'altra. Le variazioni sembrano infinite, come i contrasti, i salti di ritmo, gli accenti; assieme alle complessità armoniche, all'energia come agli struggimenti, al silenzio. Passiamo ora dai suoni e dal silenzio alle immagini e alla intrinseca fissità di quelle che catturano i diversi gesti musicali; queste vivono sì dell'emozione e dell'energia dell'attimo, ma non dovrebbero forse anche danzare? Nell'incontro di generi musicali diversi, dalla classica al jazz, attraverso il teatro musicale, la danza, l'improvvisazione, le espressioni etniche e il rock, vive un *corpus* di immagini la cui efficacia espressiva è la gestualità, segno di un tempo musicale continuamente presente.

András Schiff,
registrazione
ECM. Austria,
Schloss Mondsee

1990
MUSICS (SEEING AS HEARING)

Lelli e Masotti

Let us imagine walking down a corridor leading onto a long series of rooms, and that different sounds are emitted from each one. Or we might imagine standing under a large dome with lots of different kinds of music all playing together, one on top of the other. There would appear to be infinite variations, such as the contrasts, the changes of rhythm, the accents, along with the harmonic complexity, the energy and the pathos, or indeed the silence. Let us now pass from sounds and silence to images and the intrinsic stillness of those that capture various musical gestures; sure, they feed on the emotion and the energy of the moment, but should they not also dance? In the encounter of different musical genres, from classical to jazz, via musical theatre, dance and improvisation, ethnic and rock performances, a corpus of images emerges whose expressive efficacy lies in its gestural nature, the sign of an ever-present musical perception of time.

Alemu Aga,
Multikulti Festival.
Milano

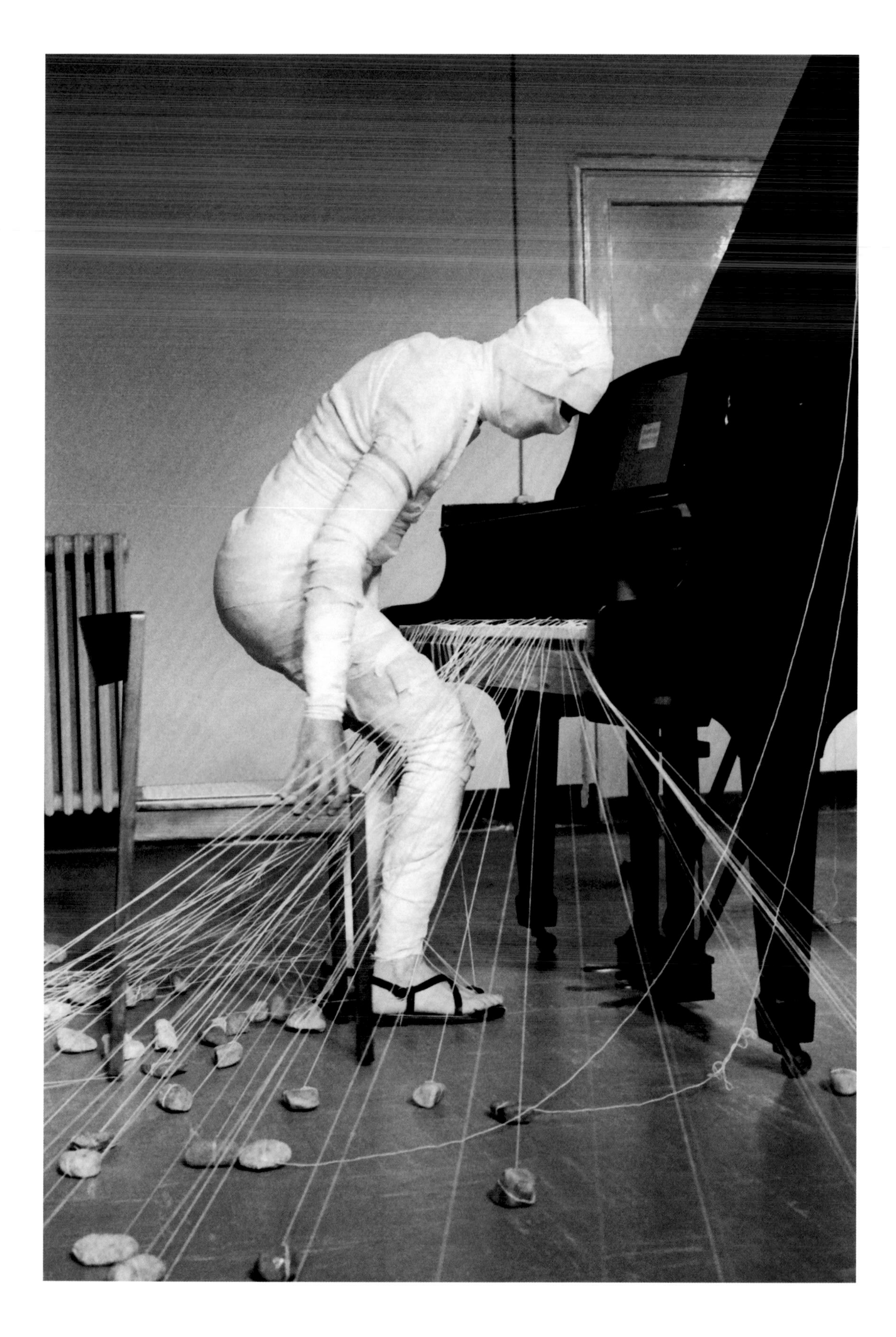

6LECCIO
8LECCIO

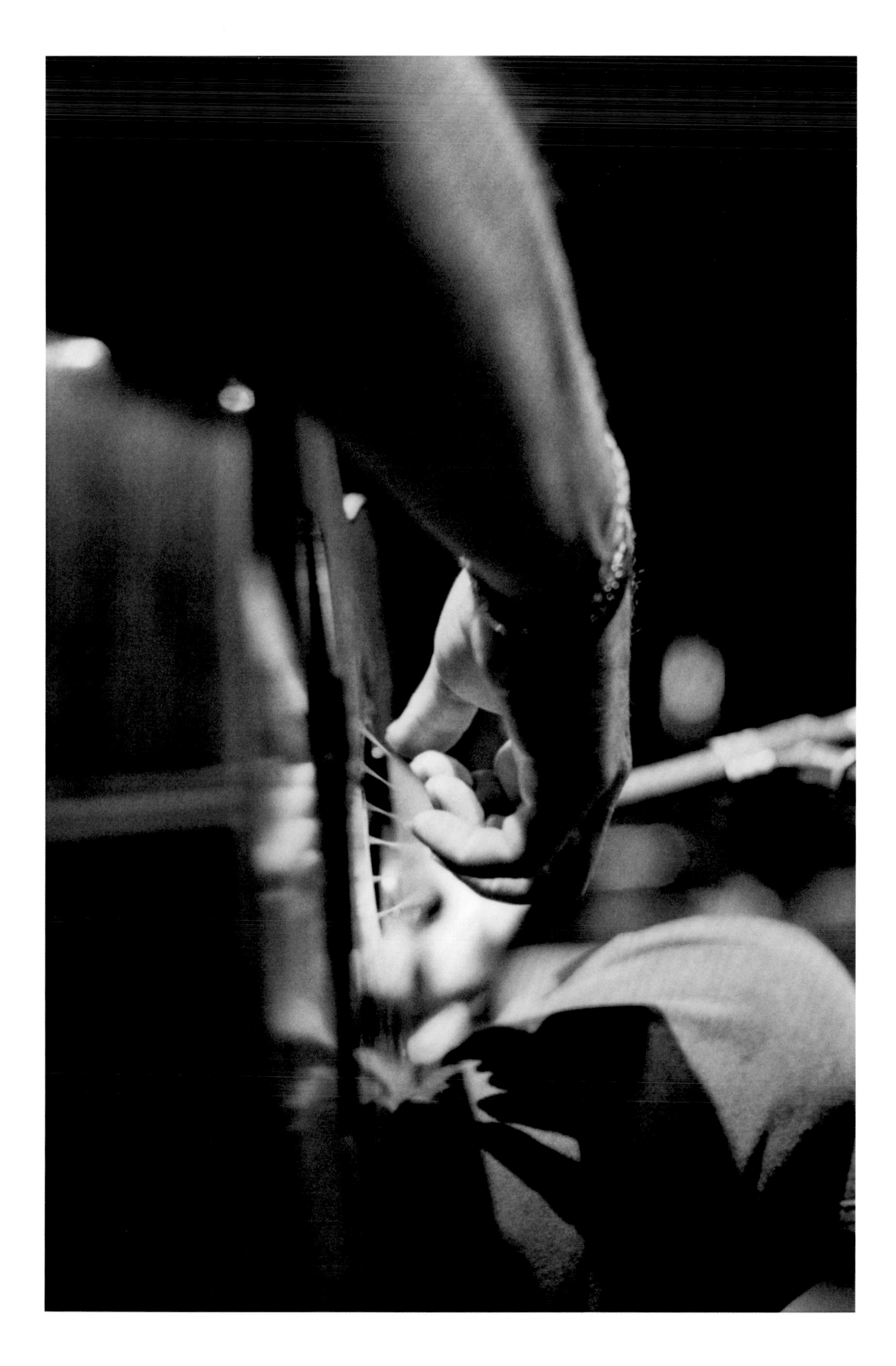

БЕТ

КОВЕНЪ.

Odyssey

UNITE
THE SPIRIT OF '76

2016

Lelli e Masotti

Il nucleo di scelte fotografie che va sotto il nome di *Musiche*, raccolto e compilato nel 1990, non solo si riconferma, ma è tuttora in grado di rendere l'idea che ispirava l'opera.
Erano superati i confini tra generi? Si stavano superando, si sarebbero oltrepassati di lì a poco e definitivamente? Che tipo d'idea era: filosofica, sociologica, antropologica, progressiva, rivoluzionaria? O solo una provocazione? Tutto e niente. Era qualcosa che aveva, e ha, a che fare con l'idea di confine dell'ascolto in presenza di musiche varie e differenti tra loro, eseguite dal vivo, udite e viste quindi. Percepite in modo totale e paritario, plurale per di più. Momenti di esperienza con il suono e il gesto. Vedere come sentire, sottotitolavamo. Incontri ravvicinati con l'espressività, la teatralità, la scena. Questi elementi sono sempre stati per noi una guida sicura per riconoscere i fenomeni musicali attraverso caratteristiche non generiche, anzi piuttosto precise. Elementi vestiti di arte performativa connaturata con lo "stile" di ogni singolo genere, formale e comportamentale che sia, anche se già mescolato ad altri stili, sonori, gestuali, non importa. Difficile talvolta comprendere dove una soluzione musicale innovativa poggi e verso dove vada quando chiari punti di riferimento, e orientamento, vengono a mancare. Si assiste spesso allo sconfinamento, non quello commerciale che subdolamente, eppure efficacemente, serve ad allargare un bacino già abbondantemente liquido, ma quando, invece, due correnti sonore confluiscono mescolandosi dinamicamente.
Non c'è come il vedere, allora, che può suggerire chiarezza aprendo alla visione ciò che rimarrebbe appannaggio unico dell'ascolto. Vedere come sentire, abbiamo sottotitolato la serie fotografica, quel sentire inteso non solo come ascoltare ma prova di necessaria sensibilità verso l'assieme, l'accadimento in tutta la sua complessità, risolvendo lo sguardo in un gesto semplice ma deciso. Lo spirito iniziale del percorso fotografico di *Musiche*, mobile e continuamente variabile, è quello di un salto categoriale seguendo un'idea orizzontale, trasversale. Non più musica alta e bassa, seria, leggera, pesante, ma

Reinhild Hoffmann, *Solo mit sofa*. Milano, Teatro Nuovo

compresenza attiva nel paesaggio musicale che vive attorno a noi. Ora che sembra vigere un ordinato e burocratico (rassicurante? commerciale?) ritorno dentro alvei "tradizionali" lo spirito di *Musiche*, la sua leggera utopia, risultano quanto mai necessari per ritornare ad incuriosirsi e per affrontare la varietà di forme musicali disponibili nel mondo intero. Non c'è volontà di catalogazione, di elenco, di tassonomia, c'è una serie che si compone e si scompone, un percorso personale ed evocativo che ricorda e ripercorre momenti inesorabilmente fissati. Eppure vibrano di suono e di gesto performativo, quelli stessi che caratterizzavano il momento stesso scelto per "fermarli".

Torniamo indietro nel tempo per cercare di rendere un'idea più precisa di ciò che era il paesaggio sonoro a partire da metà/fine anni sessanta fino a metà, circa, degli anni ottanta. C'erano spinte e variazioni continue, il vecchio indietreggiava, il nuovo zampillava ovunque venendo a contatto con esperienze diverse in formazione, su ceppi consolidati, anche, unendole, apparentandole, fondendole. Questo non solo in campo musicale, ma in un'area allargata in cui tutte le arti, le espressioni artistiche, erano presenti. Per noi che cercavamo di documentare e conoscere tutto il possibile delle trasformazioni in atto la stimolazione era continua. Instancabilmente passavamo da un avvenimento all'altro, da un ambiente all'altro, dovunque la curiosità e l'informazione ci portassero. C'era urgenza di raccogliere il possibile, di fotografare il fermento, la varietà, la novità, come di rendere lo scarto e il contrasto, irresistibile, quanto l'assonanza, tra un esperienza e l'altra. La novità era intesa come qualcosa di non visto né udito da noi in precedenza, semplicemente. L'importante era essere alla ricerca di nuove strade e ramificazioni, nuove prospettive critiche, approfondimenti, anche ascolto profondo e attenzione ai particolari visivi che potessero essere emblema, indicatore teorico-concettuale intelligibile. I dettagli di quell'ambiente culturale diffuso e intersecato costituiscono gli appigli che fissano sequenze o che permettono di riformularle secondo lo spirito del momento.

Ci fu in Inghilterra, negli anni settanta, una rivista gestita da un collettivo di musicisti "sperimentali" dal nome *Musics*, poi in Italia ne seguì altra, negli anni ottanta, dal nome "Musiche", diversa e simile come scopi, allo stesso tempo. Noi orientavamo le nostre attenzioni musicali e non prima su "Gong", poi su "Musica Viva", passando per "Spettacoli e Società", riviste che non esistono più, ma allora di grande importanza. Era sorprendente oppure rassicurante, o raro, quando incontravamo ciò che conoscevamo e riconoscevamo come cosa legata alla personale esperienza. Agivamo per conoscere e fare informazione, con la fotografia saltando da una musica all'altra, da un musicista all'altro. Lo scarto tra i vari esempi contenuti nel nostro *Musiche* può essere notevole e, molto naturalmente, ne è presto divenuto la caratteristica. Difficile che chi guarda la sequenza conosca tutto ciò che contiene perché quello è il nostro percorso esperienziale e si tende a sottolineare ciò che ad altri risulta meno pregnante. La danza nella serie offre momenti dinamici, o statici, grandemente evocativi, che testimoniano ancora una volta del rapporto tra gesto, suono e musica, in momenti strutturati o legati all'improvvisazione del momento. Senza la danza, ancor più che il balletto, ci sembrava che il quadro contemporaneo fosse incompleto e decadessero quei riferimenti musicali legati alle esperienze proposte che ne costituivano importante complemento e ispirazione. Vi sono alcune finestre, come quelle dedicate al pianoforte o al violoncello, che costituiscono un esempio di come immagini e momenti diversi concorrano alla soluzione del problema: narrare per esempi passando da eventi incredibili ad altri trascurabili se non per la loro umoristica leggerezza e capacità di dialogare con gli altri documenti, finendo per essere materia pari alle altre che formano la narrazione, o la partitura se preferite.

2016

Lelli e Masotti

The set of photographic choices which goes under the name of *Musiche*, gathered and compiled in 1990, is not only reconfirmed here but is still capable of rendering the idea that inspired the work. Had the divisions among genres been overcome? Or were they at least in the process of eminently being so? What kind of idea was this: philosophical, sociological, anthropological, progressive or revolutionary? Or was it just a provocation?
All and nothing. It was something that had, and has, to do with the idea of the limits of listening in the presence of various different kinds of music, performed live and thus both heard and seen. Perceived in a total and balanced fashion, largely plural. Moments of experience with sound and gesture. Seeing as hearing, as stated in the subtitle. Close encounters with expressiveness, theatricality and the stage. These elements have always been a trustworthy guide for us to recognise musical phenomena through non-generic characteristics, but – on the contrary – rather precise. Elements dressed up as performing arts, embedded in the 'style' of every single genre, formal or behavioural, even if they are already mixed with other styles, be it in sound or gestural terms. Sometimes it is difficult to understand where an innovative musical solution lies or where it is going when any clear points of reference – and orientation – are lacking. We often witness crossover phenomena, not of commercial music, which subtly yet effectively serves to broaden what is an already sufficiently liquid catchment area, but when instead two sound currents flow into one, blending together dynamically.
And so there's nothing like seeing that may suggest clarity, opening up what would otherwise remain a sole prerogative of listening to sight. Seeing as hearing, as we subtitled the photo series: hearing meant not only as listening but as sensing, a test of the necessary sensitivity towards the whole, towards the unfolding of the event in all its complexity, allotting to the gaze a simple yet decisive gesture.
The initial spirit of the photographic itinerary of *Musiche*, changing and

Tibetan Monks Inside Electronics, i lama tibetani del monastero Drepung Loseling, Markus Stockhausen e Fabio Mina al *Ravenna Festival*. Ravenna, giardini di San Vitale

constantly variable, is that of a shift of category along horizontal or transversal lines. No longer high-brow or low-brow music, serious, light or heavy, but an active participation in the musical soundscape lying all around us. Now that we would appear to be under the aegis of a well-ordered and bureaucratic (reassuring? commercial?) return to the 'traditional' channels, the spirit of *Musiche* and its slight sense of utopia seem to be more necessary than ever before in order to stimulate curiosity once more and to deal with the variety of musical forms available throughout the world. There is no urge for cataloguing, listing or taxonomy. There is a series which comes together and comes apart, a personal and evocative path that recalls and retraces inexorably fixed moments. And yet they vibrate with the sound and gesture of performance, the very same ones that characterised the moment chosen to 'capture' them.

Let us go back in time to try and give a more accurate idea of what the sound landscape was starting from the mid/end of the 1960s up to around the middle of the 1980s. There were continuous drives and variations, the old school losing ground, the new springing up willy-nilly, coming into contact with various different experiences being formed also on the basis of consolidated blocks, joining them together and even fusing them entirely. This was to be found not only in the musical field, but across a much broader area of the arts and the various forms of artist expression. For those of us attempting to document and find out as much as possible about the transformation underway, the stimuli were never-ending. We would tirelessly pass from one event to another, from one environment to another, wherever our curiosity and information would take us. There was the great need to gather together as much as possible, to photograph the ferment, the variety, the novelty, as well as to render the distance and the contrast – just as intriguing as their similarities – between one experience and another. Novelty was meant simply as something not seen nor heard by us previously. The important thing was to be in search of new paths and ramifications, new critical perspectives, investigations, through in-depth listening and great attention to the visual details that might constitute an emblem, an intelligible theoretical-conceptual indicator. The details of that widespread and intersecting cultural environment represent the hooks on which to hang sequences, or which allow us to reformulate them according to the spirit of the moment.

In 1970s Britain there was a magazine run by a collective of 'experimental' musicians called *Musics*, followed by another one in Italy in the 1980s, entitled *Musiche*, whose aims were at the same time both different and similar. We channelled our musical and more generally artistic attention firstly

through *Gong*, then on *Musica Viva*, via *Spettacoli e Società*, magazines which have since folded yet which at the time were of great importance. It was surprising, reassuring or rare for us to come across what we knew and recognised as something linked to our own personal experience. We acted with a few to understanding and informing through photography, skipping from one form of music to another, from one musician to another. The distance between the various examples to be found in our *Musiche* may have been remarkable, and very naturally, it soon became its outstanding characteristic. It is unlikely for anyone looking at the sequence to know everything it contains because that was our experiential itinerary, and we tended to underline that which appeared less pressing to others.
Dance in the series offers both dynamic and static moments, hugely evocative, which testify once more to the relationship between gesture, sound and music, in structured moments or ones linked to improvisation on the spur of the moment. Without dance, even more than ballet, the contemporary outline seemed incomplete to us, lacking in those musical references linked to the experiences of which they were both the inspiration and the completion. There are some windows, such as those dedicated to the pianoforte or the cello that constitute an example of how different images and movement contribute to the solution of the problem: narrating through examples, passing from incredible events to ones deemed overlookable were it not for their humoristic lightness and ability to dialogue with other documents, ending up as material like all the others making up the narrative, or the score if you prefer.

REGESTO

p. 19
Giancarlo Cardini
Bodypiano, all'interno
di *Segnale Performance*
13° Autunno Musicale,
Spazio / Suono / Immagine
Como, Villa Olmo

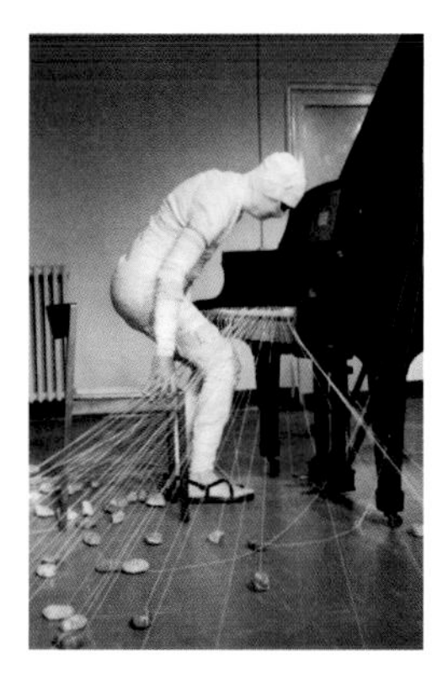

p. 20
Zaj
J'amerais jouer avec un piano qui aurait une grosse queue di Walter Marchetti
esecutore Juan Hidalgo
Milano, Spazio Fiorucci

p. 21
Keith Jarrett
Jazz Festival
Zurigo, Kongresshaus

p. 22
Piano preparato (da Giancarlo Cardini)
per musiche di John Cage
Torino, conservatorio

p. 23
Leo Cuypers-Willem Breuker Kollectiev
Berliner Jazz Tage
Berlino Philarmonie

p. 24
Maurizio Pollini
Milano, Teatro alla Scala

p. 25
Steve Beresford
Workshop Freie Musik
Berlino, Akademie Der Kunste

pp. 26-27
Antonio Ballista
prove di *Mantra* di Karlheinz Stockhausen
Milano, Teatro Lirico

p. 28
Vladimir Ashkenazy
Rundfunk Sinfonieorchester Berlin
Milano, Teatro alla Scala

p. 28
Wladimir Horowitz
Milano, Teatro alla Scala

p. 29
Riccardo Muti prova al pianoforte
con i cantanti per *Norma* di Vincenzo Bellini
Firenze, Teatro Comunale

p. 30
Leo e Perla
Avita a murì di Leo De Berardinis
e Perla Peragallo, L.D.B. al violino
Milano Progetto 78, Teatro di Ricerca,
salone Pier Lombardo

p. 31
Lucio Silla di W.A. Mozart
regia di Patrice Chereau, scene di Richard
Peduzzi, costumi di Jacques Schmidt
Milano, Teatro alla Scala

pp. 32-33
Gruppo Ouroboros
Winnie dello sguardo di Pier'Alli,
musiche di Sylvano Bussotti, nella foto
al violoncello Settimio Guadagni
Milano, C.R.T.

pp. 34-35
Concerto per orchestra coro e soli
diretto da Claudio Abbado
Milano, Palasport di San Siro

p. 36
Art Ensemble Of Chicago
(Joseph Jarman, Don Moye, Lester Bowie,
Malachi Favors, Roscoe Mitchell)
Bergamo, Teatro Donizetti

p. 36
Luciana Savignano, gruppo rock Art Zoyd
The Marriage of Heaven and Hell,
coreografia di Roland Petit,
produzione del Teatro alla Scala
Milano, Palazzo dello Sport

p. 37
Darryl Hall e Miles Davis
Umbria Jazz, Perugia

p. 38
Lou Reed
Genova, Stadio Comunale

p. 39
Boy Raaymakers, Willem Breuker
Kollectiev, festival *Europa Jazz*
Imola, Rocca Sforzesca

p. 40
Nusrat Fateh Ali Khan & Party
Musica 90
Torino, Teatro Nuovo

p. 41
Frank-Peter Zimmermann
e Alexander Lonquich
Milano, Teatro alla Scala

p. 41
The Mothers of Invention,
Napoleon Murphy Brock,
Terry Bozzio, Frank Zappa
Lugano, Palasport Mezzovico

p. 43
René Zosso suona la ghironda
con il gruppo Opus N di Bourges
rassegna *Tra rivolta e rivoluzione*, Bologna

p. 45
Frances-Marie Uitti
13° Autunno Musicale,
Spazio / Suono / Immagine
Como, Villa Olmo

p. 46
Tristan Honsinger
Workshop Freie Musik
Berlino, Akademie der Kunste

p. 47
Mitislav Rostropovich
Orchestra del Teatro alla Scala
Milano, Teatro alla Scala

p. 48
Violoncellista dei Berliner Philarmoniker
Ravenna Festival, Pala De Andrè

p. 49
Yo-Yo Ma
Milano, Teatro alla Scala

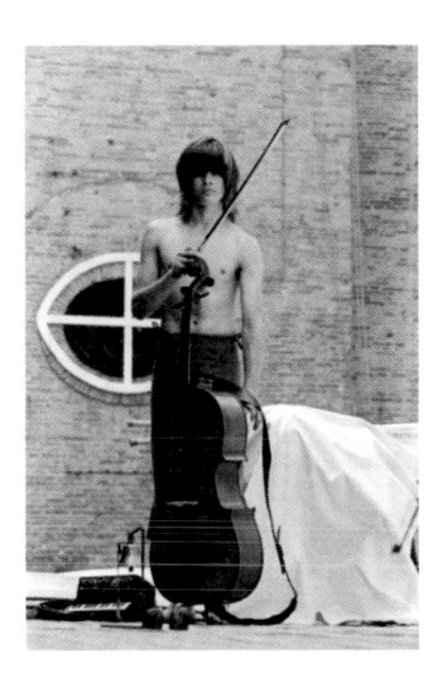

p. 50
Attore violoncellista,
Festival del Teatro in Piazza,
Sant'Arcangelo di Romagna (Rimini)

p. 51
La veglia degli angeli
coreografia di Jean Grand-Maitre
produzione Teatro alla Scala
Milano, Teatro di Porta Romana

p. 52
Gustavo Dudamel, concerto
con l'Orchestra Filarmonica della Scala
Milano, Teatro alla Scala

p. 52
Demetrio Stratos
solo performance
Milano, Spazio Preart

p. 53
The Golden Eagles da New Orleans
Milano, C.R.T.

p. 53
Elementi dell'Orchestra Filarmonica
della Scala prima del concerto
con elemento di scenografia
della Fura del Baus per *Tannhäuser*
Milano, Teatro alla Scala

pp. 54-55
Egberto Gismonti
Jazz festival
Zurigo, Kongresshaus

p. 57
Quartetto di Davide Mosconi
arpista Ines Klok, costume
di Alessandro Mendini e Lidia Prandi
13° Autunno Musicale,
Spazio / Suono / Immagine
Como, Villa Olmo

p. 58
Bob Wilson in *Doctor Faustus*
di Giacomo Manzoni
regia di Bob Wilson
Milano, Teatro alla Scala

p. 59
Prove di *Acustica* di Mauricio Kagel,
Das Kölner Ensemble Für Neue Musik
nella foto M. Kagel, Theodor Ross,
Wilhelm Bruck, *Festival d'Automne*
Paris, Musée Galliera

p. 60
David Atherton, direttore
della London Sinfonietta,
con il compositore Arvo Pärt
in una prova, *Aterforum '90*
Ferrara, Teatro Comunale

p. 61
Luigi Nono all'Experimentalstudio
der Heinrich Strobel Stiftung
des Suedwestfunks di Friburgo
nella foto con Rudy Strauss

pp. 62-63
Quarry di Meredith Monk
nella foto, tra gli altri, Meredith Monk, Andrea Goodman, Mary Schultz

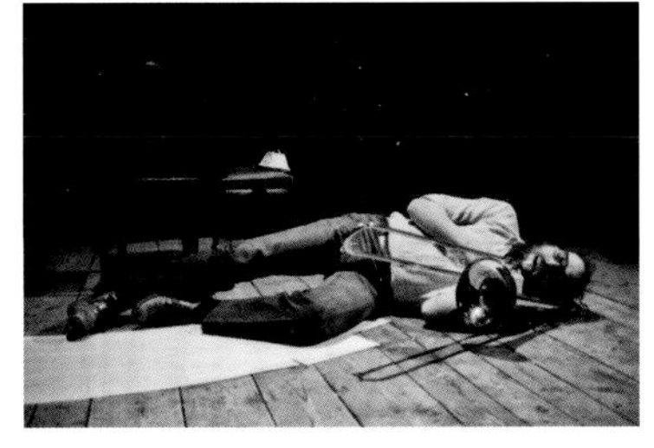

p. 64
Giancarlo Schiaffini
esegue *Atem* di Mauricio Kagel
Milano, Teatro Arsenale

p. 64
William Forsythe, prove con la compagnia dell'Aterballetto, *Festival Forsythe*,
Reggio Emilia, Teatro Ariston

p. 65
Lucinda Childs in *Einstein on the Beach*
di Philip Glass e Robert Wilson
Venezia, Teatro La Fenice

pp. 66-67
Compagnie Lubat, nella foto
Bernard Lubat, Patrick Auzier e altri
Milano, organizzazione C.R.T.,
piazza Duomo

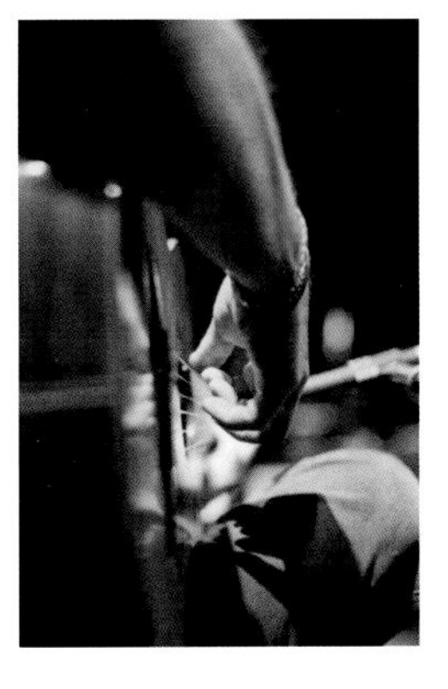

p. 68
Paco De Lucia
rassegna *Suoni e visioni*
Milano, Teatro Orfeo

p. 69
Astor Piazzolla
Milano, Teatro Nuovo

pp. 70-71
Franco Donatoni mentre compone
nel suo studio a Milano

pp. 72-73
Evan Parker Trio
(E. Parker, Paul Lytton, Peter Kowald)
Milano, Teatro Cristallo

p. 74
Donnerstag Aus Licht di Karlheinz
Stockhausen, regia di Luca Ronconi
scene di Gae Aulenti
Milano, Teatro alla Scala

p. 74
Falstaff di Giuseppe Verdi
regia di Giorgio Strehler
scene e costumi di Ezio frigerio
Milano, Teatro alla Scala

p. 75
Charlie Morrow and the Ocarina
Orchestra, *Art on the Beach*
Manhattan (New York)

pp. 76-77
El Sistema, National Children's
Symphony Orchestra of Venezuela
direttore Simon Rattle
Festival di Salisburgo

pp. 78-79
Carlos Kleiber dirige l'orchestra
del Teatro alla Scala, *Osaka Festival Hall*
Milano, Tournée Teatro alla Scala

p. 81
Prove di Isaac Stern e Claudio Abbado
Milano, Teatro alla Scala

p. 82
Carlos Santana e pubblico
Arena di Verona

p. 83
John Lee Hooker
Suoni e visioni
Milano, Teatro Orfeo

p. 84
Pubblico a un concerto degli Yes
Zurigo, Hallenstadion

p. 85
Paul Gonsalves e pubblico,
Duke Ellington Orchestra
Bologna Jazz Festival
Bologna, Palasport

p. 86
Prove delle *Nozze di Figaro* di W.A. Mozart
regia di Giorgio Strehler, scene di Ezio
Frigerio, costumi di Franca Squarciapino
Milano, Teatro alla Scala

p. 87
Goffredo Petrassi ascolta l'esecuzione
di *Coro di morti* diretta da Riccardo Muti
Milano, Teatro alla Scala

p. 88
Kontakthof, messa in scena
e coreografia di Pina Bausch
scenografia e costumi di Rolf Borzik
Wuppertal, Opernhaus

p. 89
The Night of the Guitars
Steve Hunter (particolare)
Milano, Teatro Smeraldo

p. 91
Sergiu Celibidache dirige
i Münchner Philharmoniker
Milano, Conservatorio Giuseppe Verdi

pp. 92-93
Beethoven, sala da concerto
del conservatorio di Mosca

p. 94
James Brown
Ravenna, Cà del Liscio

p. 95
Han Bennink e Peter Brötzmann
improvvisano all'interno di una mostra
su Majakovskij di fronte a suoi ritratti
ingranditi realizzati da Alexander
Rodchenko, Berlino

p. 97
Marco Pierin, *The Marriage of Heaven and Hell*, coreografia di Roland Petit
produzione del Teatro alla Scala
Milano, Palazzo dello Sport

pp. 98-99
Pierre Boulez dirige
l'Ensemble Intercontemporain
manifestazione *Milano Musica*
dedicata a Boulez
Milano, ex Stabilimenti Ansaldo

p. 100
Kim Kashkashian
registrazione ECM
Bonn, Beethovenhaus

p. 101
Myung-Wun Chung dirige
l'Orchestra Filarmonica della Scala
Milano, Teatro alla Scala

p. 102
Concerto Filarmonica della Scala
direttore Bobby McFerrin
qui con Sandro Laffranchini
Milano, Teatro alla Scala

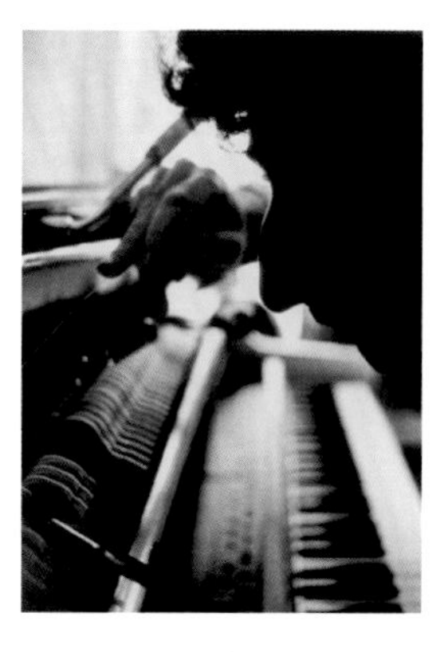

p. 103
Franco Battiato sperimenta
con il pianoforte, Milano

p. 104
Music for 18 musicians
Steve Reich and Musicians
Oggi Musica, Trevano / Lugano

p. 105
Keith Jarrett, Jan Garbarek,
Jazz Festival
Zurigo, Kongresshaus

p. 106
Lorin Maazel dirige l'Orchestra
del Teatro alla Scala, Bunka kaikan Hall
Tokyo, Tournée Teatro alla Scala

p. 107
Giuseppe Sinopoli prova con l'orchestra del Teatro la Fenice di Venezia

p. 108
Mayumi Miyata suona lo *sho*, strumento tradizionale giapponese rassegna *Happy New Ears*
Milano, Piccolo Teatro

p. 109
Leonard Bernstein dirige l'Orchestra Filarmonica del Teatro alla Scala in una prova, Milano

---

p. 111
Demetrio Stratos/Area
Milano, Teatro Uomo

p. 112
Nixon in China di John Adams
regia di Peter Sellars
The Netherland Opera
Amsterdam, Muziektheater

p. 113
Don Giovanni di W.A. Mozart
regia di Giorgio Strehler, scene di Ezio Frigerio, costumi di Franca Squarciapino
Milano, Teatro alla Scala

BIOGRAFIA

Lelli e Masotti, sigla creata in occasione della collaborazione con il Teatro alla Scala a partire dal 1979, riunisce due fotografi d'arte e spettacolo internazionalmente riconosciuti: Silvia Lelli e Roberto Masotti. Nati a Ravenna, hanno entrambi terminato gli studi a Firenze. Si sono trasferiti a Milano nel 1974. Da allora operano esplorando le *performing arts* e le musiche soprattutto, producendo fotografie e organizzandole in esposizioni, installazioni e pubblicazioni. Si sono dedicati via via ad artisti come Keith Jarrett, Miles Davis, Demetrio Stratos, Frank Zappa, Jan Garbarek, Franco Battiato, Arvo Pärt, John Cage, Pina Bausch, Tadeusz Kantor, Pier'Alli, Merce Cunningham, Claudio Abbado, Leonard Bernstein, Riccardo Muti, Giuseppe Sinopoli, Sylvano Bussotti, Maurizio Pollini, Kim Kashkashian, Placido Domingo, Carla Fracci, Karlheinz Stockhausen, Luciana Savignano, per nominarne solo alcuni.
Hanno sviluppato un'attitudine per la scena e lì si sono espressi in più occasioni anche tramite il video verso il multidisciplinare. Hanno inoltre dedicato lavori alla natura, al paesaggio e ai teatri in Italia, ai direttori d'orchestra, a John Cage, al pianoforte. Il loro vasto archivio è fonte inesauribile per l'editoria e la produzione discografica. Loro opere sono presenti in collezioni pubbliche e private. Collaborano con l'Orchestra Filarmonica della Scala dalla fondazione nel 1982, con il Festival del Quartetto e Premio Borciani di Reggio Emilia, con il Festival Mito/Milano, con il Teatro dell'Opera di Roma, con il Ravenna Festival, con l'Orchestra Giovanile Luigi Cherubini, con il Festival di Salisburgo.
Hanno partecipato ad alcune mostre internazionali in anni recenti, come: *The Artist's Eye* a Cork, Lewis Glucksman Gallery, Irlanda; *Think of your ears as eyes* all'Ara Art Center di Seoul, Corea; *ECM, a Cultural Archaeology* alla Haus der Kunst di Monaco, Germania; Biennale Internazionale d'Arte a Venezia; *The Freedom Principle: Experiments in Art and Music, 1965 to Now* al MCA di Chicago; *Claudio Abbado, fare musica insieme* a Firenze, Teatro dell'Opera; *Luce, scienza-cinema-arte* a Parma; *Gianni Sassi, uno di noi* a Milano, Fondazione Mudima. Da ricordare anche le mostre *La vertigine del teatro* e *Musiche, vedere come sentire*, promosse rispettivamente dagli Istituti Italiani di Cultura di Parigi e Madrid, e la *lectio magistralis* tenuta alla Triennale di Milano.

BIOGRAPHY

Internationally recognized photographers of theatre and the arts, Silvia Lelli and Roberto Masotti joined forces to form Lelli e Masotti when they began collaborating with Teatro alla Scala in 1979. Both born in Ravenna, they completed their studies in Florence and moved to Milan in 1974. Since then, in their work they have explored the performing arts and in particular music, producing photographs presented in exhibitions, installations and publications. Their subjects include such renowned artists as Keith Jarrett, Miles Davis, Demetrio Stratos, Frank Zappa, Jan Garbarek, Franco Battiato, Arvo Pärt, John Cage, Pina Bausch, Tadeusz Kantor, Pier'Alli, Merce Cunningham, Claudio Abbado, Leonard Bernstein, Riccardo Muti, Giuseppe Sinopoli, Sylvano Bussotti, Maurizio Pollini, Kim Kashkashian, Placido Domingo, Carla Fracci, Karlheinz Stockhausen and Luciana Savignano, to name just a few.

Lelli e Masotti have developed an aptitude for the stage and have used video as a means of multidisciplinary expression on several occasions with works devoted to nature, the landscape and theaters of Italy, orchestra conductors, John Cage and the piano. Their vast archive is an inexhaustible source of images for the publishing and recording industries. Collaborations with: Orchestra Filarmonica della Scala since its formation in 1982, Festival del Quartetto and Premio Borciani in Reggio Emilia, Festival MITO/Milan, Rome's Teatro dell'Opera, Ravenna Festival, Orchestra Giovanile Luigi Cherubini and the Salzburg Festival.

In recent years they have participated in several international exhibitions including: *The Artist's Eye* at the Lewis Glucksman Gallery in Cork, Ireland; *Think of your Ears as Eyes* at Ara Art Center in Seoul, Korea; ECM, a Cultural Archaeology at the Haus der Kunst in Munich, Germany; Venice's Biennale Internazionale d'Arte; *The Freedom Principle: Experiments in Art and Music, 1965 to Now* at the MCA Chicago; *Claudio Abbado, fare musica insieme*, Teatro dell'Opera, Florence; and *Luce, scienza-cinema-arte* in Parma. Also noteworthy are the shows *La vertigine del teatro* and *Musiche, vedere come sentire* promoted respectively by the Italian Cultural Centers in Paris and Madrid, and their Lectio magistralis held at Milan's Triennale.

Mostre personali
Musica, gesto, teatralità, Imola 1978, Reggio Emilia 1980
Ravenna recenti memorie, Ravenna 1987
Diari di fotografia, Barberino di Mugello 1988
Magia della scena, Yokohama 1988
Catalogo, BOB, Bussottioperaballett, Genazzano 1988
L'attimo prima della musica, Aosta 1991, Ginevra 1996, Milano 2007
Musiche, vedere come sentire, Biennale di fotografia, Torino 1991 e 1992, Tokio 1995
Musike-Ver como escuchar, Madrid 2012
Note sparse, Sadurano 1994, Brescia 1997, Milano1998, Capannori 2014
Note sparse: la musica delle immagini, "antologica", Brescia 1997-1998
Il caso Makropulos, Torino1994
Riccardo Muti: dieci anni alla Scala, Milano 1996
Musicamera, Corsico 1997
Borderline, notes éparses, Ginevra 1997
Suoni, spazi, silenzi, Brescia 1997, Milano 1998, Opera 1999, Bibbiena 2005
Per Exempla, Falstaff, Ravenna 2001
Giuseppe Sinopoli, attimi, sguardi, Taormina 2005
Passacaglia alta, stanze in/passaggio, Val di Susa 2010
La Vertigine del Teatro, Parigi 2011

Mostre collettive (selezione)
Gli anni di Demetrio, Milano 1989 (catalogo Intrapresa-Milano Poesia)
Cage & Company, in *Il suono rapido delle cose*, Biennale di Venezia 1993
7x7 Vizi capitali, Milano 1993 (catalogo Nodo Libri)
ECM, Selected Signs, Brighton 1999
ECMgallery, Milano 2004
Il fotogiornalismo in Italia. Linee di tendenza e percorsi, 1945-2005, Torino 2005, Milano 2007, Montpellier 2007 (catalogo Fondazione Italiana di Fotografia)
Interrotti transiti, la fotografia italiana negli anni settanta, Genova 2007 (catalogo DPS ed.)
Out Off, trent'anni, 1976-2006, Milano 2007 (catalogo: Out Off ed.)
Alla ricerca del tempo perduto. Il treno di John Cage, Bologna 2008 (catalogo Baskerville artbooks)
Il gesto del suono, la sperimentazione musicale 2008, Bolzano-Laives-Milano 2008 (catalogo Auditorium Edizioni)
Clear Light, Reggio Emilia-Milano 2009 (catalogo: Peliti Associati)
Dalla fotografia d'arte all'arte della fotografia, Verona 2009 (catalogo Alinari-24Ore)
Il gesto del suono 2.0. La sperimentazione vocale, Bolzano-Milano-Reggio Emilia 2009
The Artist's Eye, Cork, Cork 2013
Think of your ears as eyes, Seoul 2013
Claudio Abbado, fare musica insieme, Firenze 2015 (catalogo Contrasto)
Kaleidoscope, Saronno 2015
Luca Ronconi, il laboratorio delle idee, Milano 2016
Gianni Sassi, uno di noi, Milano 2016
Riccardo Muti, gli anni della Scala, Milano 2016

Pubblicazioni e cataloghi su Lelli e Masotti
Teatro alla scala. Magia della scena, Massimo Baldini Editore, Roma 1986
Ravenna recenti memorie, Edizioni Ravenna Festival, Ravenna 1987
Catalogo, Bussottioperaballett, Massimo Baldini Editore, Roma 1988
Diari di fotografia, in "Arte Contemporanea", 2, 1988
L'attimo prima della musica, Musumeci, Roma 1991

Riccardo Muti dieci anni alla Scala, Leonardo Arte, Milano 1996 (con ed. giapponese)
Milano, laboratorio musicale del Novecento. Scritti per Luciana Pestalozza (portfolio fotografico), Archinto, Milano 2009
Bianco Nero Piano Forte, Edizioni Ravenna Festival, Ravenna 2009
La Vertigine del Teatro, Nomos Edizioni, Varese 2009
John Cage (percorso fotografico), Fondazione Mudima, Milano 2009
Filarmonica della Scala, Skira Classica, Milano 2012
Musike-Ver como escuchar, Istituto Italiano di Cultura, Madrid 2012
Stratos e Area, nonsequential-Arcana, Milano 2015

Pubblicazioni e cataloghi collettivi
Programmi del Teatro alla Scala, Edizioni del Teatro alla Scala, Oscar Mondadori-Saggiatore, Milano 1979-1996
Bolero. La Danza e il Balletto, Di Giacomo Editore, Roma 1981
La Scala nel mondo, Edizioni del Teatro alla Scala, Milano 1982
La danza, il canto, l'abito, Banco Lariano-Silvana Editoriale, Cinisello Balsamo 1982
Lo spazio, il luogo, l'ambito, Banco Lariano-Silvana Editoriale, Cinisello Balsamo 1983
Regie del Teatro alla Scala, Banco Lariano-Silvana Editoriale, Cinisello Balsamo 1984
La danza a Milano nel Novecento, Banco Lariano-Silvana Editoriale, Cinisello Balsamo 1986
Luca Ronconi. Inventare l'opera, Ubulibri, Milano 1986
L'orchestra del Teatro alla Scala, Banco Lariano-Silvana Editoriale, Cinisello Balsamo 1987
Il coro del Teatro alla Scala, Banco Lariano-Silvana Editoriale, Cinisello Balsmao 1988
La Scala nel mondo, 1986-1989, Massimo Baldini Editore, Roma 1990
La Scala, Electa, Milano 1991
Per la Scala, Edizioni degli Amici della Scala, Milano 1992
La Scala 1967-1992, spettacoli e personaggi, Edizioni del Teatro alla Scala, Milano 1994
Giorgio Strehler alla Scala, Edizioni del Teatro alla Scala, Milano 1998
Le siècle de feu de l'opéra italien, con Gérard Gefen, Édition du Chêne, Hachette Livre, Paris 2000
Gianandrea Gavazzeni alla Scala, Edizioni del Teatro alla Scala-Rizzoli, Milano 2001
Riccardo Muti alla Scala, Rizzoli, Milano 2001
Placido Domingo alla Scala, Edizioni del Teatro alla Scala, Milano 2001
Il riposo dell'artista, TCI, Casa di Riposo per Musicisti, Fondazione Giuseppe Verdi, Milano 2002
Claudio Abbado, De Sono, Associazione per la Musica, Milano 2002
Claudio Abbado, Il Saggiatore, Milano 2003
Robert Wilson alla Scala, Amici della Scala-Umberto Allemandi & C., Milano 2004
Storia d'Italia, Annali 20, L'immagine fotografica 1945-2000, Giulio Einaudi Editore, Milano 2004
La motocicletta italiana. Un secolo su due ruote, Mazzotta, Milano 2005
Portfolia, calendario, Comune di Milano, CDV, Italia Nostra, Milano 2006
Pier Luigi Pizzi, inventore di teatro, Umberto Allemandi & C., Milano 2006
Savignano. Anomalia di una stella, Rizzoli, Milano 2006
Claudio Abbado alla Scala, Rizzoli, Milano 2008
La Prima alla Scala, Rizzoli, Milano 2008

Roberto Bolle alla Scala, Teatro alla Scala-Rizzoli, Milano 2008
David Borovsky alla Scala, Amici della Scala-Umberto Allemandi & C., Milano 2008
The Vision and Art of Shinjo Ito in Italy: Basking in the Light, Alinari-24Ore, Milano 2009
Lavoro: spazi e luoghi dell'identità, Alinari, Firenze 2009
Dodici anni in Scala, Edizioni Amici della Scala, Milano 2014
Pier Luigi Pizzi, Bis!, Umberto Allemandi & C., Milano 2015
Claudio Abbado, ascoltare il silenzio, Il Saggiatore, Milano 2015
Luca Ronconi, gli anni della Scala, Edizioni Amici della Scala, Milano 2016
Gianni Sassi, uno di noi, Fondazione Mudima, Milano 2016
Giacomo Manzoni, pensare attraverso il suono, Fondazione Mudima, Milano 2016
Riccardo Muti, gli anni della Scala, Edizioni Teatro alla Scala, Milano 2016

Scenografie

Scene e costumi de *Il Tabarro* di Giacomo Puccini, regia di Sylvano Bussotti (con Luciano Morini, Teatro alla Scala, stagione 1982-1983 e 1986-1987)
Immagini in proiezione per *Erwartung* di Arnold Schönberg, regia di Pier Alli (Teatro alla Scala, stagione 1982-1983)
Immagini in proiezione per *Gianni Schicchi* di Giacomo Puccini, regia di Mietta Corli (Teatro Verdi di Pisa, stagione 1987-1988).

Installazioni

Ravenna, recenti memorie, Ravenna 1987
Bianco Nero Piano Forte, con Mara Cantoni e Luigi Ceccarelli, Ravenna 2009 (il video è stato proiettato indipendentemente in manifestazioni varie a Roma, Firenze, Cordoba, New York, Catania; alcune parti sono visibili al link https://vimeo.com/channels/bianconeropianoforte)

Video

Falstaff, Ravenna 2001
trainCAGEtrain, Bologna 2008
Bianco Nero Piano Forte, con Mara Cantoni e Luigi Ceccarelli, Ravenna 2009
Passacaglia Alta, Exilles 2010, Madrid 2012
Stanze, al presente, Madrid 2012

Live video performance

Note sparse, Stefano Battaglia pianoforte, Padova, Pomigliano d'Arco, Varallo Sesia, Vorno-Capannori
Passacaglia Alta, Giovanni Sollima violoncello, Franco Sepe poesia, Chiara Rosenthal coreografia, Alessandro Bosetti sound art, Forte di Exilles

Copertine di dischi, LP, Cd, VHS, DVD

Cramps, Decca, Deutsche Grammophon, ECM Records, Edel, EMI, Erato, Fonit Cetra, Musicom, Naxos, Philips, RCA, Ricordi, Sony, Musicom, RMusic e molti altri.

TV e film

Dietro l'obiettivo. Gli specialisti: dentro lo spettacolo. S.L. e R.M., a cura di Carla Cerati, Rai 2, 1981
Memorie del Teatro, La Fotografia, Rai 3, 1987
A loro è stato dedicato da Sky Leonardo un programma televisivo per la serie *Click* a cura di Tonino Curagi e Anna Gorio, 2004
Partecipazione a *Riccardo Muti, 10 Years Work at La Scala*, Photographs by Silvia Lelli, Roberto Masotti, di Lorenzo Arruga, VHS (La Scala Bookstore con Mario Buccellati)
Partecipazione a *La Voce Stratos* di Monica Affatato e Luciano D'Onofrio, Feltrinelli-Real Cinema, Routel 2009
Partecipazione a *Prog Revolution* di Rossana de Michele diretto da Jacopo Rondinelli, Sky Arte, 2015

Trasmissioni radiofoniche

Nell'obiettivo La Scala, a cura di Antonio Ria, Radio della Svizzera Italiana, Rete 1, 1990
Una stagione alla Scala, a cura di Franca Cella e Paolo Donati, Radio 3, 1985
Scatti sonori, serie di venti trasmissioni, a cura di Claudio Farinone, Radio della Svizzera Italiana, Rete 2, 2006 e 2009

Numerose sono le interviste radiofoniche rilasciate in occasione di pubblicazioni, mostre, eventi di vario genere soprattutto a radio Rai 3 e Radio Popolare

Di loro hanno scritto

L. Arruga, Daniel Charles, L. Bentivoglio, S. Bussotti, G. Calvenzi, P. Calvetti, C.M. Cella, F. Cella, P. Cheli,

A. Colonetti, T. d. Valle, A. Foletto, A. Franini, L. Fusi, S. Lake, A. Madesani, C. Majer, A. Mendini, C. Moreni, R. Mutti, D. Palazzoli, M. Pierini, A.C. Quintavalle, G. Scimé, P.L.Tazzi, G. Turroni, R. Valtorta, R. Visco, I. Zannier, P.L. Tazzi e altri.

Conferenze, lezioni, workshop, convegni
Civica Scuola di Fotografia, Domus Academy, Istituto Italiano di Fotografia, Siaf, Accademia della Scala a Milano; Università del Progetto a Reggio Emilia, IULM Milano, Università Bocconi; Festival Foto 2002 - Portfolio in Piazza XI, Savignano sul Rubicone; Occhi di Scena, San Miniato; Rumori Mediterranei-Roccella Jonica; Theatre-Photographie/Colloque International/ Lyon; *Magia della scena, una vita inseguendo le performing arts*, Lectio Magistralis, Triennale, Milano

Silvia Lelli è coordinatrice e docente del Master in Fotografia dello Spettacolo presso lo IED (Istituto Europeo di Design) di Milano e lo è stata di "Photoart", corso di formazione avanzata e Master in Fotografia presso lo IED di Venezia. Roberto Masotti è intervenuto come docente in entrambi.

Loro opere sono conservate presso
Archivio della Comunicazione dell'Università di Parma (CSAC)
Collezione di Fotografie dell'Accademia Carrara di Bergamo
Museo di Fotografia Contemporanea di Cinisello Balsamo
MAR/Museo d'Arte della Città di Ravenna
Galleria Civica di Modena

POSTFAZIONE
2016

Lelli e Masotti

Musiche è paesaggio in scorrimento (dall'auto, dal treno, dalla bicicletta, camminando). Non solo, non più, il riflesso di un'"installazione" sonora, idea di suoni che convivono nell'ambiente, provenienti da diverse sorgenti in contemporanea. Non più "corridoio su cui si affacciano...", non solo. È più presente in noi un senso dello scorrere che l'idea di *happening*, di *mix*. Il paesaggio è il mondo sonoro che ci circonda. Possiamo selezionarne una parte, linee sovrapposte che giocano sull'interferenza mescolando i confini. *Musiche* non offre confini, è una linea di suono, un *mix* sovramusicale appoggiato, in scorrimento, sulle immagini fotografiche che, accuratamente scelte e disposte, rilanciano continuamente l'attenzione verso forme, segni, luci, espressioni, gesti, strumenti, oggetti che dicono storie accadute nel tempo e lì sospese rimangono; momenti precisi, densi di significato, oppure leggeri e ironici, ascrivibili a tappe ed esperienze rilevanti. Il loro congiungersi ed essere su una stessa *timeline* li rafforza, oltre a lasciarli dialogare con effetti che spesso ci sorprendono. C'è sì uno sguardo antologico legato agli affetti, ma ci sono anche spunti e immagini nuove che hanno raggiunto quelle "classiche". Pensare e ripensare. *Musiche revisted*, ancora una volta.

AFTERWORD
2016

Lelli e Masotti

Musiche is a landscape passing by (from a car, train, bicycle or while walking). Not just, or no longer the reflection of a sound 'installation', the idea of sounds that live together in the environment, issued simultaneously by various sources. No longer the "corridor they lead onto…," or not only. A sense of passing by is more present within us than the idea of the happening, of the mix. The landscape is the sound world that surrounds us. We may select a part of it, overlapping lines that toy with the interference, blurring the borders. *Musiche* does not offer confines but it's a line of sound, a super-musical mix resting, while passing by, on photographic images which, once carefully chosen and laid out, continually focus attention on shapes, signs, lights, expressions, gestures, instruments, objects that tell stories that have taken place over time and remain hanging there; precise moments, full of meaning, or light and ironic, ascribable to relevant stages and experiences. Their joining together and being on the same timeline strengthens them, as does simply letting them dialogue with effects we often find surprising. And while there is an anthological gaze linked to that which is dear to us, there are also new images and inputs which have risen to the level of those 'classic' ones. Thinking and rethinking. *Musiche* revisited, once again.

Silvana Editoriale

Direzione editoriale
Dario Cimorelli

Art Director
Giacomo Merli

Coordinamento editoriale
Sergio Di Stefano

Redazione
Lara Mikula, Clelia Palmese

Impaginazione
Mirco Ameglio

Coordinamento di produzione
Antonio Micelli

Segreteria di redazione
Ondina Granato

Ufficio iconografico
Alessandra Olivari, Silvia Sala

Ufficio stampa
Lidia Masolini, press@silvanaeditoriale.it

Silvana Editoriale S.p.A.
via dei Lavoratori 78
20092 Cinisello Balsamo, Milano
tel. 02 453 951 01
fax 02 453 951 51
www.silvanaeditoriale.it

Le riproduzioni, la stampa e la rilegatura
sono state eseguite in Italia
Stampato da Intergrafica S.r.l.,
Azzano San Paolo, Bergamo
Finito di stampare
nel mese di giugno 2016

In copertina
Leonard Bernstein dirige l'Orchestra
Filarmonica della Scala.
Milano, Teatro alla Scala

A pagina 2
Georges Prêtre dirige l'Orchestra
Filarmonica della Scala.
Milano, Teatro alla Scala